j'ai montré
toutes mes pattes blanches
je n'en ai plus

J'AI MONTRÉ TOUTES MES PATTES BLANCHES JE N'EN AI PLUS

a été publié sous la direction littéraire de Julien Côté.

Illustration de la couverture : Sylvie Laliberté
Maquette de la couverture : Francesco Gualdi
Mise en pages et adaptation numérique : Studio C1C4
Révision : Aimée Lévesque
Correction : Isabelle Pauzé

Catalogage avant publication de Bibliothèque et Archives nationales du Québec et Bibliothèque et Archives Canada
Titre : j'ai montré toutes mes pattes blanches je n'en ai plus / Sylvie Laliberté.
Noms : Laliberté, Sylvie, 1959- auteur.
Identifiants : Canadiana (livre imprimé) 20200091069 |
Canadiana (livre numérique) 20200091077 |
ISBN 9782897941888 (couverture souple) |
ISBN 9782897941895 (PDF) |
ISBN 9782897941901 (EPUB)
Classification : LCC PS8623.A4396 J35 2021 | CDD C843/.6—dc23

Nous remercions le Conseil des arts du Canada de l'aide accordée à notre programme de publication et la SODEC pour son appui financier en vertu du Programme d'aide aux entreprises du livre et de l'édition spécialisée.

Nous reconnaissons l'aide financière du gouvernement du Canada par l'entremise du Fonds du livre du Canada (FLC) pour nos activités d'édition.

Gouvernement du Québec – Programme de crédit d'impôt pour l'édition de livres – Gestion SODEC

Dépôt légal – 1er trimestre 2021
Bibliothèque et Archives nationales du Québec
Bibliothèque et Archives Canada

SYLVIE LALIBERTÉ

j'ai montré
toutes mes pattes blanches
je n'en ai plus

ÉDITIONS
SOMME
OUTE

Garder pour soi une parole secrète est un travail.

Vincent Descombes, *L'inconscient malgré lui*

Toi et moi on avait un pacte.

C'est ce que font les enfants cachés en dessous du lit : ils font le pacte de s'aimer et s'aider l'un l'autre toute leur vie.

Mon frère t'es mort. Je te l'écris, je ne sais pas si tu le sais : t'es vraiment mort. Je sais, c'est saugrenu.

T'es tellement mort.

Le concierge n'a pas voulu nous laisser entrer chez toi. Il est allé vérifier avec un autre homme fort. Mon chéri et moi, on a attendu dans l'entrée.

Quand ils sont revenus, ils nous ont annoncé que le monsieur (oui, toi) n'allait pas bien du tout et qu'en fait, c'en était fini pour lui (toi).

En premier sont arrivés les pompiers. Ils ont fait leurs bruits de pompiers et c'était rouge. Ils sont repartis ; il n'y avait pas le feu : il y avait un mort.

L'ambulance est arrivée. Elles étaient deux femmes dans l'ambulance ; je les ai trouvées douces et très adaptées à la situation. Elles sont montées puis descendues de chez toi et le message était clair : t'étais mort qu'elles ont dit. Ça s'appelle faire les premières constatations.

Il a fallu attendre le médecin. J'étais surprise qu'un médecin s'en mêle puisque justement, t'étais mort. Il a vérifié si t'étais bel et bien mort : mort de ta belle mort ou d'une autre mort. Il a pris son temps. Finalement il est descendu avec un papier bleu avec écrit dessus que t'étais mort ; il a même deviné ton heure de trépas. À quatre heures du matin, ton cœur s'est arrêté.

Puis est arrivée la morgue. J'ai bien aimé la morgue, ils étaient deux hommes très baraqués et polis, avec l'expression du visage agencée à l'activité. Ils sont allés dans ta chambre et nous ont demandé de ne pas les déranger. Ils t'ont mis dans un sac en plastique noir comme dans les séries télé. Le chauffeur de la morgue m'a demandé où ils devaient t'amener. J'ai suggéré qu'on t'apporte là où on avait envoyé notre mère décédée il y a six ans. Mais il ne trouvait pas l'adresse sur la liste des possibilités pour les corps morts.

J'ai pris le téléphone de mon chéri et j'ai appelé mon amie galeriste et spécialiste des expositions d'avant-garde. Pas plus avant-garde que la mort que j'ai pensé, alors je lui ai demandé de chercher le nom et l'adresse. Elle a trouvé, je veux dire son chéri a trouvé, parce que lui il est historien de l'art et que la mort c'est la meilleure manière de rentrer dans l'histoire.

Pendant qu'ils s'activaient autour de ton corps, on s'est plantés dans le salon devant la fenêtre. Tu vivais là depuis longtemps en raison justement de cette fenêtre avec vue sur la montagne. T'étais attaché à rien. Tu vivais avec rien. Mais tu tenais à ta vue ; vie avec vue sur la montagne. On a regardé la montagne et les petites lumières de la ville. La montagne était brune et on essayait de s'accrocher. J'ai dit « regardons la montagne de mon frère ». J'ai dit ça comme une monitrice à sa ribambelle d'enfants. Puis quand ils t'ont roulé sur une civière à l'extérieur de ton appartement, j'ai fait tressaillir les deux taupins : j'ai crié « salut mon frère ! ». T'es sorti les deux pieds devant. Je ne pensais jamais utiliser cette phrase préfabriquée.

Mais la mort c'est tellement préfabriqué.

Dès le lendemain se sont enclenchées toutes les activités de mort subite. Il y a les gestionnaires de ton appartement qui ont téléphoné pour avoir de l'argent. C'est très urgent l'argent des morts.

Je t'ai acheté des funérailles. Je n'en avais jamais acheté avant. Ça coûte quelques milliers de dollars. Et il faut faire des choix, des choix de présentation : en petite boîte, en grande boîte, couché dans une grande boîte ou en cendres dans une petite.

Et là, au salon funéraire, la directrice des morts était vraiment bien. Elle était habillée dans la couleur de circonstance et c'est très art visuel, tout ce noir, on aurait dit un vernissage. On t'a choisi une petite boîte en bois. Je ne voulais pas magasiner, je voulais la boîte la moins chère, la plus insignifiante ; la même que celle qu'on avait prise pour notre mère. Parce que je savais bien que tu t'en foutais des boîtes de mort, et qu'il était vraiment trop tard pour faire du chichi.

Il a fallu décider si on offrait un apéro, un vin d'honneur, un digestif, un petit encas ou un pique-nique, un lunch ou un cocktail dînatoire. Je ne voulais rien. Je ne voulais pas que les gens mangent pendant que t'étais mort dans une petite boîte pas chère. Mon chéri a eu l'idée de servir du scotch ; ce serait pour les gens qui ne se sentiraient pas bien. Il a trinqué tout l'après-midi, mon chéri. Mon mari saoul, c'était la preuve que t'étais mort.

Il a fallu choisir la photo pour le journal. Celle qui te résume, celle qui fait le tour de toi, celle qui comprend toute ta vie. Cette photo, on l'a prise lors d'une sortie avec notre vieux père. On l'avait emmené manger un smoked-meat dans un beau quartier. Alors il y a des arbres derrière toi, et bien sûr j'ai coupé la tête de notre père.

Il a fallu rédiger ton avis de décès pour le journal. J'ai hésité entre « décédé subtilement », « décédé patiemment » et « décédé totalement ». J'ai regardé un peu les avis des autres morts pour voir comment ils font les autres morts.

Je pensais que t'étais la seule personne morte cette semaine-là. Mais non. Il y en avait des pages, de morts.

Je suis allée choisir un bouquet. Je voulais que ce soit simple, blanc. Je voulais que ce soit invisible. Je voulais des fleurs magiques qu'on ne voit pas. Je ne voulais pas être en train d'acheter des fleurs pour ta mort.

Et puis je voudrais qu'on arrête de mêler les fleurs à la mort. Les fleurs sont de joie et d'espoir.

T'es mort dans ton sommeil, ton activité préférée. Et t'étais le meilleur dormeur parce que tu honorais l'activité de dormir. J'avais déjà pris plusieurs photos de toi qui dormais ; je pensais que ce serait à propos de l'art de dormir. Mais j'ai pas osé faire de l'art avec ta vie.

Souvent je n'ose pas.

Je t'ai tellement vu dormir. C'est tellement magnifique un enfant qui dort avec la petite rosée sur le front, les cheveux humides et la bouche ouverte. On dormait dans la même chambre, et toi tu me réveillais quand tu grimpais et sortais de ton lit-prison à barreaux. Tu faisais de l'insomnie enfant. C'est à force d'insomnie qu'on apprend la valeur du sommeil.

On t'a trouvé mort dans ton lit en position tout-va-bien-et-je-dors-pour-toujours. T'étais quand même un peu bleu parce qu'on t'a retrouvé seize heures plus tard.

Je me demande qu'est-ce qu'on fait avec un lit qui a servi pour mourir dedans.

J'imagine qu'on n'a plus le droit de l'utiliser.

T'es pas le seul mort que je connaisse. J'en connais plein. Ça s'empile dans mon ventre. Et si je cherche ce qui vous unit : vous êtes tous des gens aimables. Tous. L'amabilité est une qualité difficile à garder en vie.

Tu es la personne la plus morte que je connaisse.

T'es mon enfance, t'es ma preuve de nous deux. T'es mes appels téléphoniques préférés. T'es ma vérité. On se disait la vérité. J'ai pensé te mettre ici. Tu seras bien ici. Je te mettrai sur chaque page. Puis à la dernière page, tu iras où tu voudras. Et moi je n'irai pas avec toi. Le plus difficile sera de ne pas te suivre. Je ne devrai pas te suivre. Je vais mettre un mur entre toi et moi : un mur de mots.

Je ne sais pas conjuguer les verbes pour un mort. Quel temps veux-tu ? Je te les offre tous. Le présent du passé intérieur. Voilà ce que j'ai.

Je commence par mon plus beau souvenir : on est assis tous les deux par terre, les enfants sont souvent assis par terre, t'as sept ans et tu me dis : « Ce serait bien si notre père ce n'était pas lui mais un autre. » Rien que d'y penser, t'étais rempli de joie. J'avais deux ans de plus que toi, et je n'ai pas voulu briser ta joie. Je t'ai dit oui et j'ai gardé pour moi que si notre père c'était un autre, nous on ne serait pas nous.

Parce que le plus difficile, c'était ça : c'était d'être nous avec un père comme ça.

Quand tu es né, ça faisait déjà deux ans que j'étais dans cette famille-là. J'avais déjà compris que mieux valait sourire et obéir. Mais toi t'es arrivé et t'as rien vu. T'as vraiment fait comme un enfant normal dans une famille normale. Mais il ne fallait pas. Il n'aurait pas fallu que tu sois si vivant.

Au salon Fu, j'étais à la guerre ; la guerre contre la mort ou la montre, c'est pareil. J'ai même parlé en avant dans un micro. J'ai dit des choses de mort. Combien t'étais bienveillant, gentil, intelligent. Que des qualités comme si tout allait bien toujours. J'ai rien dit de ta douleur, cette douleur qu'on avait en commun. Quand quelqu'un meurt, c'est le temps de dire que tout allait bien.

Les gens étaient vraiment contents que t'aies été gentil toute ta vie. Ça leur faisait vraiment plaisir. Tous les humains ont applaudi ta bonté et générosité. Je me demande ce qu'ils célèbrent quand un méchant meurt. Mais moi, je pensais à toi : très très très gentil et mort plutôt que moins moins moins gentil et vivant. Mais je sais qu'on a été obligés toi et moi d'être gentils. Et ça tue d'être si gentil.

L'an dernier, tu m'avais téléphoné et tu t'étais mis à me lire « tout m'avale, tout m'avale » du roman du grand auteur québécois. Ta voix tremblait.

Le livre était sur ta table de chevet ; il y est encore parce que j'ai deux mois exactement pour vider ton appartement. Je n'ose pas le bouger. Je n'ose pas bouger ta vie. Sous le lit, il y a un gant de plastique mauve, un seul gant. C'est un restant de ta mort. C'est avec ce gant que le médecin ou les gentilles ambulancières, à moins que ce soit un taupin de la morgue, c'est avec ça qu'ils t'ont touché. On ne touche pas la mort à mains nues : ça pourrait s'attraper. Même aujourd'hui en pleine vie moderne, faut toucher pour savoir si quelqu'un est mort. On ne se fie pas seulement aux apparences : alors ce ne sont pas des gants blancs, comme ceux qu'on utilise pour déplacer les œuvres d'art, non ; des gants mauves, de cette couleur de la mort. Une couleur de mauvais goût, je crois.

J'ai mal depuis que t'es mort. Un peu toujours et partout.

J'ai mal surtout le matin.

Dès que je me réveille, je sais bien que tu seras mort toute la journée.

Notre père était extraordinaire, exceptionnel, merveilleux, drôle, surprenant, inédit, rare, unique, sensationnel et singulier. Mais souvent, trop souvent, notre père n'allait pas bien. Il n'allait vraiment pas bien. C'est ce qu'on nous disait (quand on nous disait quelque chose). Souvent on ne nous disait rien. On nous laissait là, dans la souffrance de notre père, et c'est là qu'on a grandi avec l'ordre de ne pas en parler. Enfermés dans un secret ; une sorte de piège pour petits enfants de la classe moyenne. La classe moyenne, celle qui veut que tout aille bien que tout soit propre et que chaque chose à sa place.

Notre père était ingénieur et mathématicien. Il était le chef de la famille et il parlait le langage des mathématiques : équations, formules, fonctions. Notre famille qui vivait sous la loi du père a adopté une manière de fonctionner très très scientifique tirée d'une formule mathématique : faire comme si et seulement si tout était normal. On a été obligés d'opter pour la logique qui ressemble à la raison mais qui n'est pas la raison.

On vivait dans une famille théorique, hyperfonctionnelle et plus que parfaite.

La classe moyenne a les moyens d'aller bien même si ça va très mal. La classe moyenne est là pour ça : pour aller bien. Donc on allait très bien. Et tout allait très mal.

Ce père il était beau, bon, très bon même, intelligent, même plus. Il avait lu tous les livres et il savait tout. Il était tout ce dont peut rêver un enfant, mais le problème était justement qu'il fallait le rêver.

Il y avait de l'ambiance à la maison, de l'ambiance pouvant être comparée à une petite musique de film d'horreur qui accompagnait nos charmants moments de famille normale. Il y avait toujours cette petite musique pour nous rappeler que ça clochait, que quelque chose ne tournait pas rond, que d'une seconde à l'autre tout pouvait tomber, que le bon sens pouvait couler à pic, alors on appliquait le faire-comme-si-et-seulement-si-on-était-une-famille-normale. On se faisait un beau spectacle de famille normale et on était de merveilleux acteurs. Fallait sauver notre peau. Tout faire pour que ça n'éclate pas. Mais on n'était pas une famille normale : on était extrêmement une famille normale. On était une famille extrême et on vivait au second degré.

Et si ça devenait plus dangereux, on montait d'un degré. On les a tous essayés les degrés, et le degré zéro aussi : mon préféré. Celui où je suis : couchée dans mon lit.

J'écris de mon lit.

Évidemment, notre père qui n'allait pas bien ne voulait pas ne pas aller bien. Ce n'était pas son choix. Et ce sera la plus grande cruauté imaginée par les humains : rendre responsables les gens qui ne vont pas bien de ne pas aller bien. Notre père souffrait. Souffrance inépuisable, infinie et terrifiante.

La personne qui souffre ne veut pas souffrir et son entourage non plus ne le veut pas. Et une très bonne manière de ne pas le vouloir, c'est de ne pas trop le savoir. Mais les enfants, eux, le sauront. Les enfants savent tout.

Mais les enfants doivent écouter les parents.

Toi et moi avons écouté, écouté, écouté. Notre père qui parlait sans cesse, parlait toujours, parlait, parlait, parlait mais ne nous parlait jamais. Jamais.

Quelquefois, parce que des amis des gens des voisins plus gentils passaient près de nous, toi et moi on espérait qu'ils allaient faire quelque chose. Mais personne n'a rien fait. On ne fait rien pour les gens qui ne vont pas bien. Ni pour leurs enfants flous qui n'ont qu'à poireauter et à être terrifiés le temps d'une enfance. Après tout, chacun ses problèmes. Et dans la classe moyenne : chacun ses problèmes, chacun ses enfants, chacun ses parents. Point. Et chacun sa voiture, chacun sa toiture, chacun sa pelouse, chacun son jardin. Chacun. Chacun. Chacun.

On a été des enfants désemparés, des ados désemparés et des adultes (si on peut appeler ça des adultes) désemparés. Mais notre détresse n'a dérangé personne. Les petits enfants n'ont qu'à ramer. Et baver.

Notre père, lui, bavait beaucoup, les fois où on l'attrapait pour un séjour en psychiatrie, quand la maladie rappliquait sans qu'on sache trop pourquoi et qu'il devait aller se faire soigner. Il nous revenait tremblant et bavant. Les soupers en famille à tous les soirs étaient un vrai traumatisme. Un supplice. Un moment qu'on ne montrerait jamais à la télé. Notre père peinait à lever sa fourchette et à la porter à sa bouche. Comme s'il ne savait plus où était sa bouche. Et puis les tremblotements n'aidaient en rien. Et son regard tellement anéanti qu'il aurait dû être interdit aux enfants.

C'était ce qu'on appelle un épisode et il y en a eu plusieurs : la maladie remontait à la surface de notre famille, nous rappelant à son désordre.

Notre père était un homme de principes ; il n'avait pas le choix, il n'avait pas accès à lui-même. Et grâce à sa superintelligence, il s'était composé une personne : il s'était érigé en système.

J'entends le mot « signalement » aux actualités. Le signalement est l'action d'indiquer aux autorités qu'un enfant est en détresse. Dans une fine famille subtile et de bon goût, bungalow avec fenêtres en aluminium et tapis mur à mur, le signalement est impossible. On rajoute une couche de bon goût par-dessus la détresse. Les enfants bien vêtus : vont bien.

Toi et moi on a reçu exactement tout ce qu'il est convenu et convenable d'offrir à ses enfants : des souliers neufs à chaque automne, des visites chez le dentiste, des livres à la maison, des divans modernes très italiens, un fauteuil Le Corbusier, des meubles scandinaves, une lampe Akari, des œuvres d'art sur les murs, un voyage en voiture par année.

Un fauteuil Le Corbusier ne peut rien pour les enfants.

On a vu notre père faire des efforts toute sa vie. Tous les parents font des efforts pour leurs enfants. Mais lui il s'est vraiment beaucoup forcé, avec méthode et application. On l'a vu élaborer un plan de survie grâce à sa grande intelligence : faire comme si, si et seulement si. On l'a aussi vu briser la maison. Briser les meubles modernes, casser des chaises, des cadres, des livres, la table en teck, l'armoire danoise, et frétiller sur le plancher. Et surtout, on l'a entendu toute notre vie tenir des propos. Il fallait tenir quelque chose : alors il tenait des propos. Et on l'aura entendu entendre des voix, nous répéter ce que disaient les voix. On a écouté ses voix avec lui.

Une fois, les voix lui disaient qu'on devait s'aimer, que tous ensemble, on allait faire une ronde d'amour, et voilà qu'on entrait dans son hallucination, nous tenant par la main et récitant avec lui des paroles de la souffrance.

Je n'ai jamais vu une escouade spéciale d'intervention pacifique pour écouter la souffrance invisible. Non.

J'ai vu la police venir le chercher. Je l'ai vu hurler. J'ai couru quand ma mère nous criait de nous sauver. Toi et moi, main dans la main sur la rue bordée de bungalows. Se sauver en courant le soir dans une rue de la classe moyenne n'est pas facile, être des enfants désemparés n'est pas facile. Aller demander de l'aide à des voisins de la classe moyenne qui sont en train d'aller bien est difficile.

Les voisins nous offrent une chambre pour dormir et nous reconduisent à l'école le lendemain matin. On ne parle pas de ça. On ne nous dit rien. L'école : faut aller à l'école. Je suis tellement allée à l'école. L'école : le seul endroit où il n'était pas.

Sauf dans les cours de mathématiques. Il était les mathématiques.

Notre père était fait en mathématiques.

J'ai vu notre père souffrir. J'ai vu notre mère souffrir de la souffrance de notre père. Mais je ne nous ai pas vus toi et moi. On n'y était pas. On était des enfants disparus qui n'existaient pas.

Je ne voulais pas raconter cette histoire parce que ce n'est pas gentil pour notre père et pas discret non plus. La discrétion est une qualité de la classe moyenne. Mais je ne fais pas partie de la classe moyenne ; je suis déclassée et depuis longtemps. Et puis toi t'es mort.

Hier, on a eu des visiteurs à la maison. Des personnes charmantes, et on a fait les choses charmantes qu'on fait dans ces
cas-là. La principale chose que je devais faire c'était surtout
faire comme si t'étais pas mort. Oui, bien sûr, on en a parlé
un peu, alors j'ai fait comme si t'étais mort juste un peu. Il
ne faut pas déranger les gens avec ça. Avec ta mort. Ni avec
ta vie d'ailleurs. En général, il faut juste passer les plats et
servir le café.

Parce que tout mort que tu sois, je ne le sais pas tout à fait. Je fais tout exactement tout comme si cela allait te sauver. J'agis en tant que la meilleure et la plus performante liquidatrice de son frère jamais vue. J'ai des marées de papier à gérer.

Hier une équipe de déchiquetage est venue à ton appartement. Il n'y a pas plus chic que le déchiquetage de tes travaux et de tes plans compliqués de réseaux électriques. Des fils et des fils que t'as branchés. Des machines que t'as choisies. C'est un inspecteur des ingénieurs qui est venu chez toi et qui a choisi les boîtes de ton travail à mettre en morceaux.

Je ne veux pas te déchiqueter. Je ne veux pas de toi en morceaux. Même si toi et moi, on sera morcelés pour toujours et jusqu'à la fin.

Quand je comprenais une chose, elle était automatiquement remise en question. Ainsi, si je demandais s'il était temps d'aller au lit, ma question me revenait sous la formidable injonction selon laquelle j'avais cinq ans et que je savais ce que je devais faire. Je devais toujours tout savoir. On a grandi dans un environnement très très savant où les savanteries étaient plus importantes que la réalité.

Notre père savait vraiment tout et ce n'était pas de sa faute. Il avait une grande facilité à tout savoir. Et à nous le dire. On a beaucoup écouté des formules de mathématiques, des lois de probabilités et d'autres joies de vivre scientifiques. Et comme il n'avait pas l'esprit borné, il était aussi question d'art, de littérature, de botanique, de cinéma, de sociologie et du Québec et des syndicats et de pédagogie, d'épistémologie ; beaucoup d'épistémologie parce que les mathématiques, c'est un langage, disait-il.

Et moi, je dis : que la maladie de ne pas aller bien est un langage et que personne ne veut l'entendre.

Notre mère a épousé notre père quand il était encore étudiant à Polytechnique. Il y était entré en passant un test pour les gens qui n'avaient pas leur diplôme d'études collégiales. Il ne l'avait pas parce que la dernière année, au collège, il s'était levé pendant le cours de philosophie et avait dit au professeur n'avoir aucun respect pour un enseignant qui n'avait pas lu tous les livres de philo qu'il y avait dans l'école. Mon père, lui, les avait lus. Je sais que c'est possible (mon père a toujours tout lu) (et pas moi) (je n'ai pas tout lu) (c'est très important) (et je ne sais pas tout.) (C'est mon père qui savait tout, pas moi.) Et ce jour-là il a quitté le collège sur-le-champ.

À la fin de ses études à Poly, il a décidé de poursuivre en mathématiques. Il est parti aux États-Unis faire une maîtrise. Cela nous a donné une pause. On a vécu chez les parents de notre mère. Tout le bon sens que j'ai me vient de là : deux années de bon sens. Mais ce n'est pas suffisant.

Quand notre père est revenu, on est allés vivre dans la banlieue, là où la réalité est disposée à parts égales dans chaque maison. Mais notre père avait des principes, et si on est allés vivre dans un bungalow, il ne s'est pas gêné pour nous répéter combien la banlieue était un lieu imbécile avec les maisons en rangées, les gazons verts ridicules et les centres d'achat minables. Un jour les voisins ont sonné à notre porte afin de nous demander de s'il vous plaît le couper le gazon. Mon père jugeait que c'était une activité absurde et c'est lui qui décidait. Ma mère, en charge de donner le change, c'est-à-dire de nous rendre invisibles, s'est mise à couper le gazon, et pas très longtemps après l'achat de la tondeuse, elle m'a montré comment utiliser la machine. J'aimais bien tondre le gazon ; j'en profitais pour faire des dessins dans les herbes coupées. À la fin, il y avait toujours des formes de huit et des visages sur la pelouse. Les voisins ont resonné : il ne fallait pas laisser de traces sur la pelouse. S'il vous plaît.

C'est tellement inhabituel que tu sois mort. Je ne sais pas où me poser, le soir surtout où toujours j'attends ton appel. Pas moi ; bien sûr je sais que tu ne vas pas téléphoner, mais moi, l'autre partie de moi ; cette partie dans mon corps, mon corps en entier ne sait plus où se poser au milieu de ton absence. Alors, moi et moi, on attend ton appel.

Je ne pleure pas. C'est mon mari qui ferait tout pour moi qui le fait : il pleure assis à la table, il pleure avec ta photo dans les mains, il pleure en disant ton nom et cela me fait du bien ; il m'aide sans cesse et sans relâche. Hier on est allés à ton appartement, et on a rempli des sacs de tes vêtements et de tes chaussures. J'ai choisi une œuvre de charité : une association qui aide les hommes ; les hommes ont besoin d'aide. Et de tes vêtements de qualité avec le petit logo d'un cheval dessus.

Un jour de crise où mon père cassait encore une fois la baraque, ma mère nous a crié d'aller chercher nos cartes d'identité, qu'on allait s'enfuir, que ce n'était plus possible. Ce fut un grand soulagement et moment d'espoir. Je me souviens très bien de toi, en petit garçon en pyjama au milieu de la crise qui me dit avec tellement d'ardeur qu'enfin on allait sortir de là. Mais des pleurs et des heures plus tard, notre mère avait réussi à mettre notre père dans la baignoire et le lavait. On est restés.

Mais quand elle n'y arrivait pas, on devait appeler les urgences et c'est la police qui se présentait à la maison. Comme si c'était la police qui se présentait quand quelqu'un fait une crise du cœur ou une crise du foie. De ne pas aller bien est une question d'ordre. La police rentrait et haut les mains.

Notre mère n'avait trouvé comme solution que d'endurer et de ne pas contredire notre père, nous entraînant toi et moi dans ce non-sens.

Dans l'adversité les enfants peuvent prendre la responsabilité du bonheur de la famille sur leurs épaules. Les enfants débordent de bonne volonté. Les enfants peuvent faire des choses qui ne sont pas de leur âge. De plus : les enfants savent avoir l'air heureux, si cela peut aider. Et le pire, c'est qu'ils pensent, les enfants, que d'avoir l'air heureux peut attirer le bonheur. Mais pour toi et moi ça n'a pas marché.

On a été des enfants pendant un certain temps. On était au moins ça : des enfants. Et ce qu'il y a de bien quand on est enfant c'est qu'il y a plein d'activités prévues à cet effet. Alors on donnait dans l'effet. L'effet de l'enfance, et puis en dedans on attendait. On a beaucoup attendu ; c'était notre spécialité.

Je vais devoir m'adapter à ton absence. Je déteste cette caractéristique humaine : on s'adapte pour survivre, comme les animaux.

Je préférerais rester avec toi là où il n'y a ni gastronomie ni effort en société.

Une séance de souper : nous quatre autour de la table. Les repas étaient toujours exactement délicieux, précisément recherchés et cuisinés. Notre père était un féru de gastronomie et notre mère travaillait dur pour répondre à ses critères de perfection. La plupart du temps, la séance se déroulait paisiblement et notre père affirmait des choses et d'autres à propos de sujets très importants ; il affirmait ceci, il affirmait cela et nonobstant ceci et somme toute cela et ceci subsume cela ; à un moment ça ne faisait plus sens, ça s'enfuyait au pays de ça-ne-va-vraiment-pas-bien-du-tout. Je ressentais un malaise, mon alarme intérieure, ma petite lumière rouge se mettait à clignoter, et notre mère ressentait mon inquiétude et la tienne aussi mon frère, mais voilà qu'elle annulait ce qu'on ressentait et affirmait : papa a raison.

Tu sais, un enfant qui se fait toujours dire que ce qu'il ressent est faux, il aura, plus tard, beaucoup de difficulté à suivre ses mouvements naturels intérieurs et son propre bon sens. Les enfants sont des constructions. Il faut les bâtir. Mais nos parents n'avaient pas le temps de faire ça.

Mon frère, on nous a utilisés : on nous a mis au service d'un système qui n'allait pas bien. C'est ce qu'on appelle un lavage de cerveau dans les films de science-fiction, alors que dans la réalité, ça n'a pas de nom, parce qu'il ne faut pas en parler.

Tu sais, quand quelqu'un meurt, c'est vraiment bien, les pilules pour dormir. Ça me jette dans le sommeil artificiel. Hier j'ai pris une pilule et ce matin on peut terminer le vidage de ton appartement. Plus d'appartement : c'est bien la preuve que t'existes plus.

T'as fini d'exister. T'as fini de vivre. T'as fini de faire toutes les affaires de la vie. La vie nous est présentée comme un million de choses à faire, on est des consommateurs d'affaires à faire. Et surtout on consomme notre image de personne en vie qui a tant à faire. Et toi, ce que tu préférais : ne rien faire.

On a tellement besoin de ne rien faire quand on a passé son enfance à travailler pour le bon fonctionnement d'une famille qui n'allait pas bien.

T'es mort et t'as plus besoin de chaises, de bureau, de vête-ments pour l'hiver, t'as plus besoin des saisons, de l'été, de chaudrons, d'assiettes, de lampes, d'étagères, d'ordinateur, de système de son, de table, de sofa, de toute cette mise en scène pour jouer à la vie.

Vider ton appartement de toi. Le vider de ta présence et de ta machine à café et de ta collection de disques. Tu vivais de café et de musique. Et de cette vue imprenable de la montagne qui faisait que tu vivais là depuis si longtemps : elle est vraiment imprenable et tu ne l'auras pas prise avec toi. Elle est encore là. Je l'ai laissée là.

Ta notaire est si jeune et si belle ; on voit bien qu'elle n'est jamais morte de sa vie. Elle dit des choses de loi et dit qu'il est primordial de faire les choses dans les règles de l'art.

Mais quel art exactement se fait dans les règles de l'art? Mourir.

T'es mort tout seul. Personne pour te souffler dessus et t'éteindre bien comme il faut. Alors je vais le faire. Je vais te liquider.

Ce matin je suis allée te mettre dans l'eau. Je t'ai immergé. Je t'ai plongé dans l'eau bleue de la piscine. Tellement bleue qu'on dirait de l'eau en plastique. N'importe quelle eau fera l'affaire ; te noyer doucement, te dissoudre pour qu'enfin tu t'évapores en paix. Mais tu te débats dans mon ventre et mes bras qui s'allongent infiniment sur la voie d'eau. Tu ne veux pas partir. Tu nages avec moi. Et à la fin, je reviens à la maison en autobus. Il y a une femme très belle avec son bébé accroché sur son dos. Elle fait des pas de danse pour bercer son enfant. Une maman pure.

Notre mère n'avait pas de bon sang, c'est ce qu'on lui avait appris à l'école : qu'elle avait du sang italien et que ce n'était pas le bon. Alors notre mère ne se sentait pas très bonne.

En 1940, durant la Seconde Guerre, son père a été interné parce qu'il était italien et représentait l'ennemi. À l'école, en première année, notre mère aussi représentait l'ennemi et se faisait humilier et punir par la maîtresse. Notre mère, en bonne élève, a appris la leçon : c'était mal d'être italienne à Montréal en 1940 et pour toujours.

J'imagine que la première fois que notre mère a vu son mari ne pas aller bien, elle ne savait pas ce que c'était. Elle n'avait jamais vu ça, une personne qui parle à l'envers. Mais elle, elle parlait aussi une langue étrangère. Alors elle a peut-être pensé qu'il fallait le protéger. Et elle a sans doute préféré ne pas trop le savoir à quel point son mari était différent. Alors elle ne nous l'a pas dit. Je ne sais pas si elle se l'est dit. Probablement pas.

C'est très difficile à appréhender les choses étranges, inso-
lites, et qu'on n'a jamais vues. Tous ces non-sens qui n'ont
pas de nom et qui remplissaient notre quotidien. À l'époque
et probablement encore aujourd'hui, nommer l'innommable
ne fait pas partie des tâches d'une maman.

Elle aurait pu s'écrier « ciel mon mari ne va pas bien du
tout ». Elle aurait pu le renvoyer là d'où il venait. Elle aurait
pu faire réparer son mari au garage des maris. Elle aurait pu
monter sur le toit de notre bungalow et crier dans un porte-
voix que franchement, ça n'allait pas bien du tout et qu'il y
avait un problème de taille à la maison et qu'on ne pouvait
pas en juger la dimension parce que justement, c'était un
problème invisible.

Notre mère s'est tue. Et tu c'est toi, et toi t'es mort.

Même aujourd'hui, une sorte d'aujourd'hui ordinaire avec soleil et ciel bleu, ta mort, je ne sais pas où la mettre.

J'ai essayé d'aller quelque part mais c'est trop loin. Tout est trop loin depuis que t'es mort.

Notre père allait donner des conférences sur les mathématiques dans plusieurs pays. Un jour, il s'était acheté des vêtements pour l'occasion : un complet rose foncé, une chemise rose, une cravate rose et des chaussures rouges. Tout ça très cher et très pétant. Il partait pour San Francisco et en revenant, il nous raconta combien il était surpris de s'être fait tant draguer.

Si une personne qui ne va pas bien ne s'appartient pas, à qui appartient-elle ? À personne et donc, on la met à la rue. On se l'est dit souvent toi et moi que chaque homme abandonné sur la rue nous faisait penser à notre père.

Toi et moi on a eu une relation frère-sœur extrême. Normalement un frère et une sœur ça s'aime, mais pas tant que ça. On a été obligés de ne pas se lâcher, de compter un sur l'autre. Pour toujours et à jamais.

Toi et moi enfermés dans notre petite enfance : j'ai fait la grande sœur et toi le petit frère courageux. Une grande sœur c'est ridicule, je le vois bien sur les photos, avec ma sacoche de petite madame accrochée à mon coude plié. Tout faire l'un pour l'autre avec nos petites forces d'enfants. Mais il y avait tant d'embûches ; des embâcles d'embûches.

On a eu un père volant qui faisait des arabesques dans le ciel. On a vu notre père voltiger au-dessus de la table de cuisine et réciter des formules magiques de mathématiques. Un père théorique qui s'envolait sous nos yeux ébahis. On a été éberlués à jamais. Interdits.

Une fois devenus adultes toi et moi on n'arrivait pas à y croire qu'on était vivants. C'est difficile de vivre quand on est pas certain d'exister. C'est le problème des survivants : la surprise constante et à chaque jour, et devoir essayer de vivre plutôt que de vivre. Maintenant c'est fini ; t'as fini d'essayer d'essayer.

Une amie est venue de très loin. Elle s'affaire autour de moi, m'emmène manger, m'emmène marcher, m'emmène m'asseoir dans mon salon. Elle sait très bien que je ne sais plus manger, marcher ni m'asseoir. Puis quand elle repart, je suis seule sans toi et avec sans toi. Je l'ai laissée faire parce que je sais qu'elle t'aimait.

L'été est arrivé et il essaie de recouvrir ta mort de fleurs, d'oiseaux, de ciels bleus. Mais il ne le peut pas. Ta mort s'engouffre entre les ciels bleus, les oiseaux et les fleurs. L'été pose en consolation.

Il n'y a pas longtemps, notre père a passé une année en psychiatrie. Il est vieux maintenant et ça nous a surpris que la maladie resurgisse si tard.

Depuis qu'il avait pris sa retraite, il allait assez bien. Il fréquentait le centre de jour de l'hôpital où il bricolait à l'atelier d'ébénisterie et jouait au billard. Ses médicaments étaient bien dosés. À un moment, l'hôpital a fermé l'atelier et la salle de billard. Le système de santé ne sait pas qu'une table de billard ou un atelier de bricolage sauvent des vies. Je me souviens qu'il aimait bien raconter ses activités et j'étais toujours étonnée de voir que les gens faisaient comme si ces activités n'avaient pas lieu dans un hôpital.

L'été, il s'occupait de son jardin magnifique : un rêve de fleurs dans la cour arrière et des aubergines devant la maison. Il connaissait le nom de chaque fleur en grec en latin en anglais et en français ; alors visiter son jardin prenait beaucoup de temps.

Il avait toujours besoin d'être occupé, et à l'occasion, je lui demandais son aide dans mes projets (voiturage, bricolage). Il était toujours enthousiaste et généreux et, à la fin, je ne savais plus très bien qui aidait qui.

Plus tard lui et notre mère sont allés vivre en appartement. Il avait moins d'espace pour s'occuper mais il s'est accroché ; il a trouvé un autre atelier de bricolage et faisait partie d'un groupe de cuisine collective. Depuis toujours c'est notre mère qui veillait sur lui, mais elle a commencé à perdre la mémoire. Probablement qu'ils ont oublié quelques précieuses petites pilules, provoquant ainsi une nouvelle crise et le retour de notre père en psychiatrie.

Notre père devait toujours s'occuper : comme si vivre c'était s'occuper.

Une année à lui rendre visite à l'hôpital et voir de près ce que personne ne veut voir. Il nous parlait de ses hallucinations qui n'en étaient pas pour lui; il était entouré d'amis et d'ennemis invisibles. C'était l'hiver et on regardait toi et moi par la fenêtre avec lui, des dieux de l'univers postés sur le toit de l'édifice juste en face de l'hôpital. Ces êtres invisibles nous faisaient des signes de la main et notre père leur répondait.

Une fois notre père était couché sur un matelas au plancher et on pouvait le regarder par un petit hublot dans la porte de métal barrée. J'ai vu sa souffrance et j'ai vu que c'est tellement difficile pour les humains. Personne ne veut savoir qu'on enferme les gens qui ne vont pas bien.

Un jour un huissier est entré pendant une réunion entre notre père, nous et l'équipe soignante. C'est la procédure légale pour informer un malade qu'il perd tous ses droits. On était tous assis autour de la grande table, et le huissier bien raide et debout a crié le nom de notre père et a dit qu'il était dangereux pour lui et pour les autres et qu'il avait perdu sa liberté. Quelle liberté? Notre père était devenu un vieil homme qui pleurait plié en deux sur ses genoux.

On ne sait pas comment faire. Personne ne le sait.

Ils essayaient une série de pilules, mais il devenait trop mou, puis une autre série et il devenait trop dur. La psychiatrie essaie. C'est tout ce qu'elle peut. Mais c'est gentil d'essayer. Après un an d'essais et erreurs, ils ont réussi à en faire un homme. Notre père a maintenant l'air normal et il a toutes les qualités que seuls ceux qui ont tant souffert peuvent se permettre : gentil, généreux, aimable, content, sympathique, rieur. Il a toujours été comme ça. Je reconnais mon père mais on dirait mon père en formule obéissante comme s'ils lui avaient ajouté docilité et soumission. Drogue et science-fiction. Je m'inquiète en pensant qu'il y a peut-être au fond de notre père une petite voix qui crie : « Au secours, on m'a emmuré dans un monde de chimie et de molécules. »

Pourtant il a l'air bien. Il ne dort pas debout. « Ajusté », qu'ils disent. Il est tout « ajusté ». Et je pense comme ça doit être drôle d'avoir eu un vrai père toute sa vie. Un père ajusté. Avec qui on peut avoir une conversation.

Notre père était très intelligent, mais je n'ai jamais eu une vraie conversation avec lui. Jamais il ne m'a demandé de mes nouvelles. Jamais il ne m'a dit de mettre ma tuque l'hiver ou de ne pas sortir si tard le soir. Mon père pouvait parler beaucoup devant moi. J'y mettais des questions pour faire vrai, mais il était seul dans sa tête. Et tout était une imitation. Les conversations, la maison, les repas, tout.

En général il n'était pas à la maison. Toute cette question du père absent dont on parle sans cesse fut pour nous une chance. Du temps pour souffler et reprendre nos esprits.

Et puis notre père souvent ne nous voyait pas. Cela nous donnait du temps pour vivre un peu les activités pour enfants. On jouait sans trop faire de bruit. On savait qu'à tout moment on pouvait être ramenés à la réalité : la triste réalité de l'irréalité. On était toujours très parcimonieux dans l'activité de jouer.

Et dans l'activité d'être des enfants.

Je ne veux pas que tu sois un mort parmi les morts. Je ne veux pas te laisser là avec les autres morts : on ne les connaît pas, toi et moi, tous ces morts.

Pourtant je t'allonge toutes les bonnes raisons d'être mort : qu'ici la vie est trop difficile avec ces efforts constants qu'on doit faire quand on n'a pas eu une enfance normale, quand on a grandi au second degré et qu'on doit sans cesse faire l'effort de se « tasser », de se « caler » au premier degré. Alors forcément à un moment on n'en peut plus : tu n'en pouvais plus.

Tu es mort de fatigue.

On part en trombe, on va acheter des meubles. Notre père est au quatrième ciel. Il veut tout acheter et il va tout acheter. Des meubles italiens modernes et des danois en bois et une table et des chaises et des fauteuils. Je ne comprends rien, je n'ai jamais vu un magasin de meubles et je ne savais pas que des meubles ça s'achetait. Je pensais que ça poussait dans les maisons. (C'est un peu le problème avec la situation de grandir dans le néant: il y a tout plein de choses simples qui ne sont pas expliquées.) Donc des meubles et des meubles. Très beaux et très chers. (Il les détruira quelques années plus tard.) Après ces emplettes de luxe, il insiste pour entrer dans une librairie. Il m'appelle, il veut me montrer un livre. C'est tellement rare que mon père m'appelle. Il ne m'appelle jamais. Mais je ne le connais pas ce livre qu'il veut me montrer. Il s'insurge, comment puis-je ne pas connaître cette histoire. Je ne le sais pas: j'ai huit ans. Je lis beaucoup mais pas celui-là, en fait je ne lis pas beaucoup: je lis sans arrêt. Et ce n'est pas normal; je tiens à le dire aux parents fiers de leurs enfants qui passent leur vie le nez plongé dans les livres. Donc il me raconte un peu l'histoire de ce livre, et ça me donne la nausée, je n'aime pas cette histoire. Je n'aime pas ça du tout. Je ne dis rien. Il continue. Je suis navrée et triste, pour une fois que mon père me parle (mais c'est une illusion; mon père est dans sa tête et je suis un objet à qui adresser son propos, son fameux propos). Alors, me dit-il, ce livre très important a été écrit par un mathématicien né en Angleterre et la fille dans l'histoire s'appelle Alice.

« Et tu devrais le savoir. » Il est outré. Je me sens ignorante, j'ai honte ; la pire chose qui puisse advenir dans notre famille : l'ignorance. Et pourtant je sens que de lire l'histoire d'une petite fille prise dans un pays des merveilles me rendrait malade. J'en ai marre des merveilles. Tout est trop merveilleux.

Je suis dégoûtée. Je n'en peux plus de le suivre partout et dans les magasins de meubles et je ne veux pas aller dedans ce livre. J'ai huit ans.

Mais il ne me l'a pas acheté ce fameux livre. Il ne pouvait pas étirer sa pensée aussi loin dans la réalité et me l'acheter ce Lewis Carroll que tout le monde connaît et même moi maintenant. Il pouvait palabrer mais il ne pouvait rien pour moi. De toute façon, moi, je lisais Bécassine. Bécassine était mon héroïne et j'allais faire comme elle toute ma vie. C'était décidé. Une belle imbécile heureuse. Pas si belle, mais propre. Et réaliste.

Et pourtant il est fort possible que notre père-mathématicien ait compris ce livre écrit par un auteur-mathématicien ; qu'il en ait compris ce que seuls quelques savants peuvent saisir.

Un de tes amis veut me rencontrer pour qu'on se rappelle de bons souvenirs de toi. Je ne veux pas y aller. Je ne veux pas courir au-devant de toi mort.

Une personne gentille me demande de mes nouvelles ; elle me demande aussi si tu m'as envoyé des signes. Quels signes, je lui demande. Elle dit c'est peut-être un papillon, un petit vent, un oiseau. Ce matin, canicule au balcon. Je regarde les fleurs et un papillon qui danse.

Je pleure. Tu n'es pas un papillon.

Hier c'était ton anniversaire. J'ai attendu toute la journée. Je ne sais pas ce que j'attendais. Une confirmation, proba-blement. Alors oui, t'es mort.

On vivait dans la perfection. À chaque semaine on allait avec lui faire les courses en ville. On faisait des kilomètres pour acheter de la perfection. On allait acheter le meilleur pain parfait, le meilleur fromage parfait, les meilleurs légumes parfaits, les meilleurs poissons, les meilleures pâtisseries, et le meilleur café. Bien entendu le meilleur vin : on n'allait pas le chercher ; il le faisait venir en barriques de la France. Et tous les dimanches on allait à la ville acheter le *New York Times* qui était le meilleur journal. Il faut dire que d'aller acheter un pain ou un gâteau devenait une aventure hautement préparée. On devait premièrement l'inscrire sur la liste des projets, puis bien en analyser les tenants et aboutissants ; réfléchir au comment y aller, déterminer quel chemin, quel moyen de transport était le mieux adapté, choisir quelle boutique de pain selon la fonction que le pain occuperait dans la journée, plus précisément dans le repas. Donc, fallait-il un pain lourd, un pain rond, un pain long, un pain foncé, un pain blanc ? Ensuite, définir l'ambiance normale d'aller chercher un pain afin de bien l'imiter. Puis fixer un moment approprié. Assez souvent tout ça était tellement rempli d'anxiété qu'on pouvait se trouver la famille au complet devant la boulangerie une heure avant l'ouverture.

J'aimais les tours d'auto. Je m'évadais par la vitre et ça me faisait du bien. Un jour notre père, dans un désir impitoyable de pédagogie, a fait un détour dans un quartier pauvre pour nous montrer un quartier pauvre. On l'a tous regardé. C'est vrai que c'était pauvre. Mais de regarder la réalité des autres par la vitre d'auto ne nous rendait pas plus réels. J'étais déjà tellement effondrée dans ma vie de pas pauvre.

On était privilégiés. C'est comme ça qu'on dit des enfants qui apprennent à se laver les mains avant le repas, qui disent merci et qui demandent poliment s'ils peuvent sortir de table. Et pour toi sortir de table était excessivement difficile. Notre père ne voulait pas que tu sortes de là.

À six ans je savais que tu refusais de manger parce que tu en avais assez de tout ça. Une petite fille de six ans pense que son frère a raison, mais elle a aussi peur de perdre son petit frère qui devient de plus en plus frêle. J'avais six ans et j'aurais tant voulu qu'on écoute la douleur de mon frère. Mais ce n'était pas possible. Alors on te forçait comme une oie. On te laissait devant ton assiette pendant des heures et des heures jusqu'à ce que tu termines ton repas. Souvent tu vomissais dans ton assiette. C'était formidable d'intelligence. Je t'admirais mon frère de vomir dans ton assiette très tard le soir. C'était tellement pas beau. Moi je cachais la nourriture dans mes poches. On détestait la nourriture qui ne va pas bien. Et puis il y a toutes ces périodes où je mangeais pour deux ; j'essayais de faire diversion, de distraire l'ennemi.

On ne mangeait pas de la nourriture. On mangeait l'idée de la nourriture. On mangeait du langage. On était l'idée d'une famille. Et toi tu as eu ce réflexe si vivant de refuser cette fausse nourriture.

Tout ça t'aura coupé l'appétit pour toujours. Et vivre sans appétit c'est impossible, comme le disait notre ami Obélix. Enfin une référence savante.

Pourtant on a eu une période Colonel Sanders. Notre père avait rencontré aux États-Unis une sommité des mathématiques. L'homme avait invité notre père à souper dans sa famille mathématique et ils avaient mangé du poulet en baril. Notre père était épaté et au retour de son voyage, on mangeait à chaque mois un baril de poulet frit en l'honneur d'un mathématicien du Minnesota. Je trouvais ça étrange; le *fast-food* était interdit à la maison.

À l'époque, un enfant qui refusait de manger, on appelait ça un enfant capricieux. T'as passé ton enfance à l'eau et au pain, en prison dans notre famille qui n'allait pas bien. T'as aussi passé ton enfance à faire rire de toi parce que c'est ridicule d'avoir peur de manger.

Manger : cette activité si quotidienne et si sociale. Manger : cette activité si répandue et trois fois par jour. Manger : cette activité obligatoire.

Toutes ces fois où je t'ai vu avec une bouchée de quelque chose dans la bouche et ton visage en rictus, les yeux pleins d'eau. Toutes ces fois où j'avais si mal pour toi. Toutes ces fois où je n'ai pas pu te sauver. Chaque morceau de nourriture qu'on met dans sa bouche sans même y penser, toi, ça te révulsait, ça te répugnait.

Mon frère, c'est tellement pur de mourir ; je te reconnais bien.

Voilà six mois que t'es pas là. Exactement pile six. Et puis il y aura les six ans, les six décennies, les six siècles, les six millénaires. Ça fera toujours trop longtemps. Dès que t'es mort c'était déjà trop long. Cela n'en finira jamais. Je commence à comprendre.

Je rappelle pour une énième fois pour m'assurer que ta carte de crédit est annulée. Le monsieur cherche les documents que j'ai envoyés. J'ai envoyé mille fois cette preuve de ta mort. Il me met en attente, dans une musique de saxophone sexy de fin d'été. Il revient et dit « c'est fait ». Je demande « c'est tout ? » « Oui, c'est tout », et il repart dans sa musique de bureau sexy.

Ma mère était aux commandes de l'hygiène de mon père. C'est elle qui décidait quand il devait se laver. Le matin elle examinait ses tenues comme un inspecteur. C'est très difficile d'être propre et de ne pas aller bien.

Le bureau de notre père était dans la salle commune où on regardait la télévision. Ça nous permettait de veiller sur lui. On ne s'éloignait jamais. Il travaillait toujours à voix haute, il débitait ses formules de mathématiques, des sortes d'incantations de x et de y et de leurs variables. Toujours il y avait cette fine couche de mathématiques par-dessus le son de la télé.

Quand notre père était agité, ma mère dormait sur le plancher de leur chambre près de la porte, au cas où mon père se lèverait en pleine nuit habité par ses démons.

Il y a la question des médicaments. Cela se passait dans les années 1970. Et non seulement nous étions drôlement vêtus, mais c'était aussi, je crois, le début des médicaments pour les maladies mentales. Alors les effets secondaires étaient bœuf, hors du commun, voire spectaculaires : tremblements, étourdissements, secousses de pleurs à tout moment et bien sûr bavage. Alors après chaque hospitalisation, notre père revenait à la maison avec une panoplie de pilules, mais il finissait toujours par abandonner le traitement à cause des effets secondaires trop pénibles et insoutenables. On lui avait aussi montré une technique à la mode pour se calmer : le training autogène.

Et si les autres pères jouaient au golf ou s'amusaient en bricolant dans leur garage, notre père, lui, s'essayait à une méthode de relaxation par autodécontraction en cinq étapes. Et pour le reste du temps, il lisait des *Playboy*. La maison était remplie de ces magazines et j'ai regardé très scrupuleusement toutes les photos des filles placées au centre de la revue. Elle étaient flambantes. Je pensais contempler mon futur, et ça me semblait incroyable qu'un jour il m'arriverait un corps semblable, avec deux gros seins bien ronds et ces hanches veloutées. Mais finalement, rien de semblable ne m'est arrivé. Pas du tout. Et puis il est tellement bon pour une enfant de vivre dans une maison remplie de *Playboy*, au cas où justement j'aurais voulu les consulter, pour les articles évidemment, pas pour les photos.

Une jeune prof d'anglais très cool, en minijupe et au grand sourire nous avait demandé de dessiner un personnage et d'identifier en anglais toutes les parties du corps. J'ai fait le dessin d'une femme plantureuse en bikini. Réplique exacte des femmes des magazines *Playboy*. Après la correction de nos mots en anglais, la prof a remis tous les dessins aux élèves, sauf moi. Elle a pris mon dessin et l'a accroché dans la petite fenêtre de la porte de la classe afin que tous puissent le voir. Je ne savais pas trop quoi en penser ; je voyais bien que la prof d'anglais était très enjouée. Une fois la leçon d'anglais terminée, la prof normale et sévère est entrée dans la classe et a arraché mon dessin et l'a jeté promptement à la poubelle.

À chaque fois notre père refusait de prendre les médicaments et refusait aussi le diagnostic. Il en a eu plusieurs, diagnostics, de toutes les sortes et de toutes les couleurs : dépression, dépression majeure, maladie affective bipolaire, psychose maniacodépressive, schizophrénie... Un jour il m'a dit, et ce sera la seule fois où il abordera la question avec moi, que d'entendre des voix, c'était terrifiant. Il était à bout.

Et nous aussi.

Une nuit à sept ans, je fais un cauchemar ; je vais réveiller ma mère, mais c'est mon père qui se lève. Je pleure, j'ai vu des monstres. Il me dit que c'est impossible. J'insiste ; j'ai vu ce que j'ai vu. Il s'énerve, il crie, il n'y a pas de monstres. Il me parle de la biologie. Je ne sais pas ce que c'est que la biologie. Il se pince, il parle du sang qui coule dans nos veines, de nos os, de notre squelette ; je ne sais pas pourquoi il me parle de ça. J'ai fait un mauvais rêve et mon père est hors de lui. Il fait tellement de bruit que tu te réveilles et viens t'asseoir à mes côtés en petit frère en pyjama de cinq ans qui veut m'aider.

Maintenant je sais bien que notre père ne voulait pas que je voie des choses qui n'existent pas. Il ne voulait pas que cette chose informe arrive à ses enfants. Cette nuit-là, il a été un père exemplaire même si je n'ai rien compris et que je suis retournée pleurer seule dans mon lit avec toi pas loin dans le tien.

La semaine dernière j'ai rangé tous tes papiers : ils étaient en piles bien distinctes sur ma grande table : banque, notaire, assurances, appartement, comptable. Et j'ai mis les ciseaux dans toutes tes cartes et tes photos d'identité en plastique. « Lorsque le permis de conduire de la personne décédée sera annulé, nous vous recommandons de le détruire de façon sécuritaire. »

Détruire en toute sécurité est possible.

Aujourd'hui, ces cartes et tes papiers me manquent.

Je dois reprendre mon souffle coupé. Six mois de souffle coupé. Cette nuit, je le sais, tu mourras encore.

Notre mère a appris à conduire la voiture afin d'aller rendre visite à notre père à l'hôpital psychiatrique qui était situé de l'autre côté de la rivière. Et elle tenait à ce qu'on l'accompagne. Peu de personnes ont ce privilège d'aller voir leur père en psychiatrie. La première fois, j'ai été sous le choc de voir et sentir le rythme des gens. Tout était pesant, lent et pénible. Il y avait moins d'air qu'ailleurs. Les gens marchaient beaucoup, je veux dire ils erraient dans les corridors. On s'assoyait à une table dans une salle commune et on achetait des tablettes de chocolat dans des machines distributrices. J'étais éberluée, incapable de parler. Mon père tremblait et bavait et ma mère n'était que courage. Elle était toute seule avec ses deux enfants devant son mari perdu. Elle faisait plusieurs voyages de courage comme ça, à chaque semaine. À un moment il allait mieux et nous racontait ses activités. Il y avait des bricolages de mauvais goût : des pâtes alimentaires collées sur du papier et vaporisées de peinture argentée en spray. Et il nous racontait qu'il y avait une esthéticienne dans l'unité et qu'elle lui faisait des traitements et qu'il adorait ça. J'étais sidérée. Il fallait entendre tout ça. Les progrès de mon père psychiatrisé.

Comment notre famille a fait pour cacher tout ça ? Comment on a fait pour que personne ne le voie ? Que personne ne le sache ? Et comment ont-ils fait pour ne rien voir ?

Dans la vie de la classe moyenne, ce qu'on voit ne compte pas. Ce qui compte est ce qui est dit. Et c'est ce qui est dit qui sera pris pour preuve. Donc il a été dit que notre père travaillait trop, (je ne travaille jamais trop) (et même que je trouve ça du plus mauvais goût que de trop travailler) (comme si tout avait besoin d'être travaillé) (comme si la nature des choses n'existait pas) (comme s'il fallait toujours intervenir partout) (et puis si je travaille, je le fais dans mon lit) et il a été dit que mon père était trop intelligent (ça, c'est charmant) (et je suis hors de danger). Donc, jamais il n'a été énoncé clairement que notre père souffrait d'une maladie. Il n'allait pas bien et il était fatigué, c'est ce qu'on nous a dit.

Je te demande pardon d'écrire la vérité. Mais c'est tout ce que j'ai. Et je dois me dépêcher parce que je ne l'ai jamais longtemps, la vérité.

Et puis personne ne me croira parce que notre père était un homme charmant, gentil, généreux. Intéressant, intelligent, rieur, cultivé mais pas snob, curieux, érudit qui aimait recevoir les gens, cuisiner et servir de bons vins qu'il avait analysés au préalable. Il était politiquement engagé, il avait des idées de la gauche, il voulait un pays libre. Il aimait les gens, tous les gens. Il ne les divisait pas en bons, pas bons, riches, pas riches. Notre père n'avait pas de préjugés. Il était bon. Il était prêt à aider et à expliquer les mathématiques à qui en avait besoin. Il était gentil avec mes amis et avec sa famille. Et il était original à force d'être si gentil et si drôle. Oui, notre père, et qui le croira, était aussi un homme qui n'allait pas bien du tout. Une personne intelligente peut aussi ne pas aller bien. Et ça nous aura démantibulés. Et toi ça t'a tué. Lentement et sûrement.

Je deviens de plus en plus gênée de t'écrire. Je ne t'écris presque plus. J'ai peur de te déranger. C'est tellement officiel la mort. Ça commence à m'impressionner : un vrai mort, avec tout le tralala et ta dépouille comme du prêt à emporter un dimanche soir.

J'ai ouvert quelques boîtes avec des restants de notre famille. Toutes ces personnes aimées et disparues. Plus de personnes mortes que de vivantes. J'ai essayé de regarder ces photos qui sont bien trop précises avec la vie qui jaillit des images, ces photos de toi dans un album : l'album d'un ravage. Les preuves de tes essais de vivre. C'est vraiment tout ce qu'on peut quand on a été éjecté de la réalité : essayer de participer, mais pas trop. Pas trop parce qu'on n'en a pas la force et pas trop au cas où on contaminerait les autres ; parce qu'après tout, on l'a peut-être attrapée cette maladie.

Et il y a aussi cette impression trouble de ne pas avoir été de suffisamment bons enfants toi et moi, parce que ce sont les bons enfants qui font les bons parents.

Je suis allée rencontrer ton ami d'adolescence. Tu l'avais croisé dans le métro quelques mois avant de mourir. Depuis, il voulait me voir. J'y suis allée. Il était gentil et j'avais l'impression de faire mon travail de grande sœur : non, mon frère ne peut pas venir jouer avec toi ; il est mort maintenant. Il a quand même dit que tu ne mangeais pas ; que tu ne mangeais jamais.

Je lui ai offert mon livre où j'avais mis une photo de toi et moi sur la couverture. Je ne voulais pas être toute seule sur le dessus d'un livre, alors j'ai pris une photo de nous deux. Je t'avais demandé la permission. Tu m'avais dit oui. Tu me disais toujours oui.

Un jour ta maîtresse d'école a rencontré notre mère pour lui annoncer que tu étais stupide. Notre mère était sous le choc et je me souviens de l'entendre me raconter qu'il était bien possible qu'elle, une Italienne qui n'avait pas fréquenté l'université, elle ait un fils stupide. J'avais huit ans et il me semblait qu'une maman ne devait pas dire une chose comme ça, qu'une maman ne dirait pas ce mot-là à propos de son enfant. Plusieurs années plus tard, une autre maîtresse a déclaré que tu souffrais de dyslexie. Tu avais douze ans et ne savais ni lire ni écrire. Et pendant toutes ces années notre professeur de père ne s'en était jamais mêlé, parce qu'il avait une grande confiance dans le système d'éducation. Donc mon frère, après six années d'humiliation où tu étais celui qui ne sait ni lire ni écrire (et je répète que cela n'avait jamais alerté nos parents), tu es allé suivre des leçons particulières de lecture et d'écriture. Notre père était épaté quand la spécialiste faisait remarquer que tu écrivais à l'envers. Tu savais écrire mais tu commençais les phrases à la droite de la page. Notre père déclarait souvent : « Il écrit en arabe, mon fils écrit comme les Arabes, et devinez qui a inventé les chiffres arabes ? » Et je me souviens qu'adolescent, tu devais lire à chaque soir à voix haute des histoires de petits lapins en promenade dans la forêt, des livres illustrés pour les enfants de six ans. Je t'entendais ânonner, hésiter, buter sur les mots. J'étais consternée.

Plus tard, tu t'es laissé flotter dans le système d'éducation. T'étais très fort dans les sciences, mais ça t'inquiétait. Après avoir vu tous ces spectacles d'intelligence cassée, tous ces débris qui voletaient à la maison, t'avais pas trop envie de la pratiquer ton intelligence. T'étais méfiant.

À l'université, t'avais trouvé un truc : ne pas assister aux cours, t'informer du programme et l'apprendre tout seul afin d'éviter les spectacles de professeurs qui parlent sciences et formules. Après trois ans d'études, les professeurs ont voulu que tu continues, que tu te joignes à leur club sélect de recherche, mais toi tu voulais sortir de là au plus vite.

Je dois dire, et cela te ferait beaucoup de peine, que tu es la personne la plus intelligente que je connaisse, que j'aie connue. L'intelligence c'est une manière de comprendre un phénomène, n'importe lequel, d'une manière inouïe et remplie de finesse. C'est recherché et émouvant. Je ne peux pas m'empêcher de penser que c'est bien triste que cette intelligence n'ait pas été au service du plus grand nombre. Mais le plus grand nombre est un nombre. Et toi et moi, on a toujours eu des problèmes avec ça.

Et puis ça t'aura quand même pris plusieurs années de dé-
solation avant d'aller à l'université. À l'âge où normalement
tous les jeunes de la classe moyenne sont aux études en prévi-
sion de leur bel avenir devant eux, toi tu passais tes journées
dans ton lit. J'allais te voir. T'étais pas malade ; t'étais jeune
et affalé.

Je suis tellement fatiguée que tu sois mort.

C'est lors d'un match de notre sport national. T'as dix ans et tu rayonnes de joie assis sur le banc des joueurs. L'entraîneur ne te fait pas jouer. Seuls les meilleurs vont sur la glace. Mon frère tu es heureux, tu fais partie de quelque chose : tu fais partie d'un match, d'une équipe, d'un moment de sport. Mais surtout, tu fais partie de la réalité. Puis soudain, il y a mon père qui, au beau milieu de la partie, marche sur la glace. Je ne suis pas sportive, mais je sais qu'un père ne va jamais sur la glace au beau milieu d'un match. Personne ne marche sur la glace. Mais mon père veut la justice. Il veut que son fils joue. Il ne voit pas que tu joues malgré tout. Même assis sur un banc des joueurs, tu es en train de jouer et tu es comblé. Mon père engueule l'entraîneur devant tout le monde. Il crie, il gesticule et il t'ordonne de le suivre. On est atterrés. Toi et moi on le suit. Tu es démoli. Mais notre père infaillible a rendu justice. Mon frère tu ne joueras plus jamais. Et c'est triste, c'est samedi matin. C'est l'hiver, c'est gris et notre père va pouvoir continuer à dormir le samedi matin jusqu'à tard dans l'après-midi.

Il y a dans notre histoire toutes les fois où je peux décrire des événements et il y a surtout toutes les fois où il n'y a rien à raconter, rien à voir, rien. Toutes les fois où toi et moi on flottait dans le néant. Des enfants laissés là. Laissés à eux-mêmes qu'on dit. Alors que du nous-mêmes, on en avait si peu.

J'avais dix, onze ans, j'étais au salon avec mon amie. Notre père était hospitalisé. Notre mère était sortie prendre l'air. On était seules, on bavardait, on s'amusait dans notre salon chic. C'était l'hiver, il faisait −30 au thermomètre. Puis la sonnette de la porte retentit, je vais ouvrir : c'est mon père en jaquette d'hôpital et en petites chaussettes. Il a marché des kilomètres, il a marché des heures, il a traversé le pont. Il est tout rouge et frigorifié. Il s'est enfui de l'unité de psychiatrie. Il entre dans la maison ; il est content. Il est chez lui. Mon amie est gentille mais elle a peur. Elle est courageuse et restera avec moi jusqu'à ce que ma mère rentre et que le drame recommence.

Notre mère qui doit patiemment convaincre mon père qu'il ne va pas bien. Mon père qui ne veut pas retourner là-bas. Les discussions, les cris, les pleurs, les bruits du malheur. Puis ma mère qui le conduit tard la nuit de l'autre côté de la rivière, de l'autre côté de la vie normale.

Plusieurs années plus tard, mon amie m'en reparlera. Son souvenir : la jaquette de mon père était ouverte.

Lors d'une visite à notre père la semaine suivante, il nous montrera très fier la porte par laquelle il s'échappait de l'hôpital. Parce qu'il a réussi plusieurs évasions. Et cela prouve, je crois, que les hôpitaux psychiatriques ne sont pas aussi confortables et accueillants qu'on le voudrait.

J'ai ce souvenir de nous deux et de notre mère devant une porte d'hôpital avec notre père qui nous explique longuement cette porte, et moi de ressentir vivement et vaguement qu'on est dans un moment improbable : qu'un père n'explique pas le comment forcer une porte d'hôpital à ses enfants. Il me semble que cela n'a pas de bon sens, mais je n'en suis pas certaine.

De ne pas aller bien c'est invisible, mais la normalité aussi, c'est invisible. On est normal et on n'y pense même pas. On fait les choses comme on fait les choses. On est une personne et pas une autre. On vit. Et moi j'ai du mal à faire ça. Et toi aussi t'avais du mal. C'est difficile de vivre normalement quand on ne l'a pas appris.

Ici, j'insiste, et je n'aurai pas appris à huit ans le mot « tauto-logie » en vain : les normaux sont normaux. Ils sont normaux, et la qualité principale d'être normal c'est qu'on n'a pas be-soin d'y penser. Alors les normaux ne le savent pas qu'ils sont normaux, ils vivent ; ils font des choses, ou choisissent de ne pas en faire. Toutes leurs actions sont directes ; les normaux ont un accès privilégié à la réalité.

Les normaux sont les privilégiés de la réalité. Nous, on était les pauvres, les sous-alimentés de la réalité.

On a beaucoup ri toi et moi de l'expression «quand on veut on peut». Trop drôle. On se disait qu'on n'avait pas l'ambition d'avoir de l'ambition, qu'on n'avait pas la volonté d'avoir de la volonté.

Et puis quand on a passé son enfance à être dépassés par les événements et que tous les autres ont toujours l'air d'avoir raison, on se laisse facilement dépasser une fois devenus adultes. D'ailleurs, on dirait qu'on est là pour ça : pour être dépassés.

Certains racontent dans des livres leur histoire d'horreur et en profitent pour nous décrire leur courage. Notre courage, à nous, il aura consisté à rester là dans nos belles installations, à ne pas bouger, à ne pas faire de bruit ; il fallait manger à tous les jours, il fallait tout cacher parce que si cela s'était su, on aurait eu honte dehors. Alors que là, on avait honte en dedans et qu'on n'avait qu'à ne pas en parler jamais. Sauf toi et moi. Toi mon témoin principal. Le seul qui a vu ce que j'ai vu.

Qui me croira maintenant ? Pas moi. Je ne sais pas comment. Je n'ai pas appris à me croire.

Je sais bien que ça ne change rien pour toi, mais je préfère t'avertir : je pars en vacances. Une semaine. À mon retour, qui vais-je appeler pour annoncer que je suis rentrée ? Il faut prévenir quelqu'un quand on revient de vacances. Sinon ce ne sont pas des vacances.

Oui, des vacances pour me reposer de ta mort. Je laisse le cahier ici avec toi dedans. J'essaie.

Des gens férus venaient à la maison. Des discussions avec de grands mots ont eu lieu très souvent dans notre salon et à notre table. Les gens palabraient vraiment beaucoup et notre père, là-dedans, était un as. Champion du dire des choses savantes avec des grands mots. Et nous on était laissés en plan. Enfants décoratifs pour soupers gastronomiques. Par chance on mangeait avant. On n'avait qu'à saluer les savants et disparaître dans notre monde d'enfants brisés.

Tous ces gens qui savaient tant et tout n'ont rien fait, ils n'ont rien remarqué parce que notre père était un savant. Puisque tout le savoir du monde ne pouvait rien pour nous aider et nous sortir de ce fracas nuageux et brumeux, je suis restée sur mes gardes avec toutes ces savantes appréhensions du monde. Enfant, je connaissais les grands noms de la mathématique et de la sociologie, sans oublier ceux de la philo. On a décortiqué Piaget tous ensemble et bien comme il faut. Mais Piaget et les autres ne pouvaient rien pour nous. Selon notre père, il ne fallait surtout pas oublier Karl Popper et l'épistémologie. Le plus petit dénominateur commun régnait en fou à la maison. Et la maïeutique, toute cette maïeutique que nous avons mastiquée.

Depuis que je suis revenue, je fais comme quand j'étais enfant : je suis hypersage, hypercourageuse devant la monstruosité de ta mort, je me fais si petite et si gentille qu'il me semble bien que tu réapparaîtras. J'attends ta réapparition en secret. Comme j'attendais que notre père revienne à lui. Tout cela est impossible.

Je n'ai jamais vécu une chose si nouvelle que toi mort et moi vivante. Je ne sais pas comment faire.

J'ai calculé sur mes doigts hier avant de m'endormir. Huit mois. Au moins novembre gris me réconforte.

J'ai dix ans, notre père est à l'hôpital, et ma mère lui parle au téléphone le matin. Elle l'informe que tous les trois, nous partons pour le grand magasin du centre-ville. On y va en bus et en métro. Plus tard, on est dans le grand magasin Eaton : notre mère, toi et moi. On circule dans les allées. Puis, soudain : mon père. Notre père apparaît dans le grand magasin comme une hallucination. On est surpris, on est sous le choc, ma mère a peur. Elle a peur de son mari. Lui, il est heureux, il nous a retrouvés, il est avec nous. Il a pris la fuite et c'est le bonheur. Ma mère le convainc de rentrer à la maison avec nous ; on est dans le métro puis dans le bus avec lui. Tout va trop lentement. Je suis terrifiée. Ma mère est terrifiée. Tout peut arriver. Ce malaise précis : avoir peur de mon père, la honte d'être avec lui, un homme qui parle trop fort dans l'autobus. On rentre à la maison. Je ne me souviens plus de la suite. Mais c'est une catastrophe. Panique des jours ordinaires. Et pour mon père : retour à l'hôpital psychiatrique. Et toi, tu étais là en petit garçon de huit ans. T'avais oublié cet épisode. Je te l'ai raconté l'an passé. Et peut-être qu'oublier ce n'est pas bon pour la santé.

Je n'aime pas écrire ceci. J'ai peur de briser des gens, ceux qui préfèrent ne pas savoir, la majorité.

Toi et moi on a grandi entourés de la majorité.

Bien sûr, toi et moi on a toujours admiré les normaux. J'étais une petite fille qui observait beaucoup les normaux. Il y en avait sur notre rue, à l'école et dans les magasins. Je les examinais mais je ne les enviais pas ; je n'aurais jamais osé et je n'en avais pas la force. Je sentais simplement que je ne méritais pas tout cet ordinaire. Je voyais bien que les normaux ne se gênaient pas pour faire des activités normales. Alors que chez nous, les samedis et dimanches, notre père dormait jusqu'à deux heures de l'après-midi. Fallait pas faire de bruit, alors je me sauvais à la bibliothèque où je lisais les aventures intrépides des normaux. J'étudiais bien comme il faut les normaux. Et à la bibliothèque, parce que les préposés me reconnaissaient chaque samedi matin, et qu'ils étaient un peu plus gentils que nécessaire, je sentais bien que je ne faisais pas partie des normaux. Je me doutais bien que j'avais l'air d'une petite fille de huit ans qui avait pris le bus toute seule pour venir à la bibliothèque. Il m'arrivait de croiser des enfants normaux ; ils étaient avec leurs parents qui surveillaient de très près le choix des lectures des petits normaux. Alors que moi, mes lectures, ça n'intéressait personne.

Toi, mon frère, tu passais tes samedis en pyjama rivé à l'écran de la télé en noir et blanc. Tu regardais tous les vieux films pas pour les enfants. Ça t'aura fait une belle culture de vieux films noir et blanc, mais la nuit tu te réveillais souvent en criant. Tu racontais tes cauchemars à propos d'un Jésus sur la croix et d'autres horreurs que t'avais vues à la télé du samedi. Mais personne n'a jamais pensé à te proposer une autre activité. Personne n'a pensé que toi mon frère tu vivais dans un mauvais rêve.

Il faut dire que nos parents étaient souvent très occupés à la cuisine, qui en fait était un laboratoire de recherche pour d'éventuels soupers gastronomiques.

Le spectacle d'une personne qui dit des choses incongrues est très violent. Ça nous vide de l'intérieur. Je ne sais pas pourquoi. Mais c'est l'effet que ça fait. Notre père était très intelligent et même quand il se désorganisait, il empruntait l'allure de la science avec les mots de la logique et du bon entendement. Décidément, on aura tout entendu, toi et moi. Et c'était trop. Tellement toujours trop.

On parle beaucoup des enfants qui doivent écouter les parents. Et si peu des parents qui doivent écouter les enfants.

Les gens en général, les normaux, les réguliers, ceux qui vaquent à leur vie en toute honnêteté, ne connaissent pas le pouvoir d'une personne qui ne va pas bien. Ils ne savent pas que les gens qui ne vont pas bien ont une mission : nous emporter avec eux, là où tout tangue et chavire. Notre père avait un superpouvoir : dissoudre la réalité. Et nous dissoudre un peu avec elle.

Il m'arrivait d'aller chez des copines de classe et de remarquer l'encadrement des normaux. Tout était en place et pensé pour les enfants : leurs jeux, leurs études, les repas. Alors que chez nous, tout était pensé pour notre père. Le plus étrange c'est que ça m'étouffait ces maisons faites pour les enfants des normaux.

Quelquefois, j'ai invité des amies à la maison. Mais pas souvent ; c'était trop difficile. Je devais repérer mon père dans la maison et m'assurer qu'on n'allait pas le rencontrer. Je voulais à tout prix leur éviter cette image d'un homme détruit.

Je me souviens que toi aussi t'allais chez des amis. Et je sentais, quand tu revenais, que tu désirais quelque chose qu'ils avaient et qu'on n'avait pas. Je pensais que c'était des jouets. Maintenant je sais que c'est ce qu'on appelle de la sécurité. Les enfants ont besoin de se sentir en sécurité, et ce, à tous les jours. Mais on n'en avait pas à la maison.

Je vis avec un homme normal. Il est le plus normal que je connaisse. Il est tellement normal que souvent on va acheter des fruits ou un pain, simplement. Et quand je lui parle de normalité, il répond que la normalité ça n'existe pas. Je trouve ça très drôle et j'admire sa désinvolture. Il est éclatant de réalité.

Et si notre mère n'avait pas eu toute cette honte accumulée en elle? «Si et seulement si» elle avait eu la force et l'élan naturel de nous aider? Mais elle a appliqué la loi de l'époque, celle qu'on pouvait voir à toutes les semaines à la télévision et qui s'appelait Papa a raison. Mais papa ne l'avait pas la raison. Et on a coulé.

Notre mère si gentille, si aimable et si discrète qui avait passé son enfance à se faire crier des injures par les enfants mais aussi par les maîtresses d'école, ces figures géantes de l'autorité. Notre mère et sa sœur étaient les deux seules petites Italiennes de leur école : les seules à subir ce traitement de choix. Notre mère qui se faisait lancer des tomates à chaque automne quand elle allait jouer chez son amie sur une rue voisine. (C'est son amie qui me l'aura raconté ; jamais ma mère n'aurait osé.) Notre mère et sa petite identité en morceaux. Notre mère traumatisée, persécutée. Le silence de notre mère dans le silence de l'Histoire.

Je regarde notre mère sur une photo : elle a quatre ou cinq ans. Je voudrais sauter dans la photo. Prendre ma mère dans mes bras, la jeter par terre, lui dire de tout arrêter, de ne pas continuer, lui dire que ce sera trop dur. Lui dire de rester là sur la photo en noir et blanc.

L'été, toi, notre mère et moi on se sauvait souvent sur le site de l'Expo 67. Notre mère apportait des sandwichs coupés en quatre dans des contenants en plastique d'époque. Les enfants adorent faire des pique-niques. Je me souviens de notre visite au pavillon des Autochtones. Notre mère a pleuré tout le long de la visite : de gros sanglots à chaque photo. J'étais pétrifiée. À la fin je lui ai demandé pourquoi. Elle m'a répondu : « On les a bafoués. » Je ne savais pas ce que ça voulait dire et je n'ai pas insisté. Ce n'était pas le moment. J'ai pensé que lorsque je serais grande je connaîtrais la signification du mot « bafoué ». Je le sais maintenant et je ne l'ai pas appris à l'école.

J'ai vérifié sur Internet au cas où j'aurais rêvé ce moment. Il est écrit que le pavillon s'appelait le pavillon des « Indiens » avec un astérisque où on précise que le mot « Autochtones » aurait dû être utilisé.

Cet été-là mes parents m'avaient acheté un cadeau de fête à cette exposition universelle : une poupée russe. Ils m'ont offert le présent puis me l'ont enlevé, et l'ont posé là-haut sur une étagère, parce que c'était très beau et que je n'avais pas le droit d'y toucher.

Hier la notaire m'a téléphoné. Questions de chiffres et de lois. Elle m'a félicitée pour la clarté de mes documents. Tu rirais bien. J'ai tout fait comme une première de classe et quand j'irai au rendez-vous je lui apporterai une pomme.

Ça m'est quand même encore très difficile de vivre pendant que t'es mort.

Et puis ça me salit les yeux de t'écrire tout ça.

J'avais quinze ans quand il y a eu à la maison une première et dernière intervention psychologique. Cela aura pris quinze ans avant que notre maison ne soit détectée comme zone à risques. Mon père était interné en psychiatrie et un psychologue courageux avait cru bon de venir nous rencontrer dans notre environnement naturel. J'étais à la cuisine, en train de déjeuner : beurre d'arachide et lait au chocolat. Il m'a posé des questions et j'ai refusé de répondre. Toi, t'as été gentil et t'as bavardé avec le monsieur.

Ça me semblait être le comble qu'un intervenant en santé mentale vienne nous épier dans notre cuisine mentale alors que je déjeunais d'un petit déjeuner mental, sur la belle table en teck mentale, dans notre belle vaisselle moderne et mentale. Ça faisait quinze ans que je travaillais pour cette famille, quinze ans que j'étais en fonction ; j'avais donné tout ce que j'avais pour que ça n'éclate pas, j'avais enduré notre père qui parlait sans cesse et en mathématiques à tous les jours. Notre père qui marchait autour de la table à tous les matins pendant que je déjeunais. Il tournait autour de la table en déclamant des formules scientifiques. Notre père qui fumait quatre paquets de cigarettes par jour, et ça dès le matin. La cuisine avait l'air d'un bar enfumé et à l'école les maîtresses pensaient que je fumais tellement je puais la cigarette. Donc après toutes ces années et ces petits voyages en psychiatrie, il y avait cet étranger dans ma cuisine : ce fin psychologue qui voulait me poser des questions. J'ai refusé de lui parler. J'avais quinze ans et je commençais à trouver la situation intolérable. Et surtout, je trouvais que ce professionnel de la santé mentale se présentait bien tard dans notre famille mentale. J'avais ramé pendant quinze ans pour être une bonne fille et si notre père se désorganisait une autre fois, cela était hors de ma volonté. Le psy était en retard de plusieurs années. Je ne l'ai plus revu. Et après, plus personne n'a essayé de nous aider.

Notre mère était prévoyante et achetait à chaque semaine des cargaisons de cigarettes pour mon père. Mais il finissait toujours par en manquer. J'ai couru souvent au dépanneur du coin, où je récitais les mots magiques : « Un Craven A régulier. » Notre père était une machine.

Notre mère était italienne même si elle ne le voulait pas. Bien malgré elle, elle avait les manières italiennes : notre mère était propre-propre, la maison bien tenue, tout était à sa place. Elle était recevante et généreuse ; elle aimait les gens. Notre mère savait ce qu'il fallait faire : il fallait faire comme si tout allait bien et disposer des fleurs dans les vases et offrir des petits biscuits avec le café. Cela rendait notre vie secrète encore plus difficile à déceler. Notre mère a été éblouissante dans ce travail de leurrer tout le monde. Elle avait toujours l'air de maîtriser la situation, et surtout on aurait dit que la situation n'existait pas.

Pourtant on était dans la situation quand le soir elle restait des heures dans la baignoire à pleurer-pleurer. Plus tard elle dira, comme si c'était à la fois un secret et une méthode extraordinaire, qu'elle aura beaucoup pleuré dans sa baignoire. On le savait. On l'avait entendue. À la fin de sa vie ma mère avait tant pleuré qu'elle n'avait plus de larmes. Pleurer dans l'eau : ça me semble être le plus triste endroit pour pleurer, comme si personne exactement ne pouvait recevoir sa peine et qu'elle ne pouvait que rendre les larmes à elles-mêmes. Retour au point de départ ou réflexivité, dirait quelqu'un ayant une formation mathématique : les larmes de ma mère dans une boucle d'eau.

Je n'ai jamais autant aimé ma mère que depuis qu'elle est morte. Elle n'est plus là pour m'en empêcher.

Le soir, toute seule dans ma chambre, je sortais les bandes dessinées de la bibliothèque. La maison débordait de livres, mais il n'y avait aucun livre pour les enfants, sauf ces albums parce que notre père en raffolait. Je les plaçais tous face à mon lit de manière à ce que les héros Astérix, Obélix, Gaston Lagaffe et le Marsupilami, puissent bien me voir et veiller sur moi. C'était ma période religieuse ; je comptais sur les icônes pour m'aider dans l'épreuve. J'ignorais que j'étais dans une épreuve ; tout ce que je savais, c'est que j'avais besoin d'aide dans cette maison.

Tu te souviens de cette réunion des soignants de notre vieux père? Ils étaient huit personnes : infirmière, aide-infirmière, ergothérapeute, physiothérapeute, travailleuse sociale, nutritionniste, responsable des loisirs et intervenant en soins spirituels. Lui nous a posé cette question : « Qu'en est-il de la foi de votre père ? » J'ai voulu crier : « Sa foi ? Quelle foi ? Mon père était un homme de trop de foi : il a vu des monstres, entendu des voix, écouté les conseils de ces voix. Trop, trop, trop de foi, je vous en prie, laissez-le tranquille. » Mais c'est toi, très calme, très posé, qui as répondu : « Pas trop de foi s'il vous plaît. »

Notre père est la sorte d'homme qui, au restaurant, lorsque mon mari lui met son manteau, cache ses mains dans ses manches et dit : « J'ai perdu mes mains. » Notre père est rigolo. Il a toujours été enjoué. Ce n'est pas une nouveauté des médicaments.

En fin de semaine, pour me changer les idées, j'ai regardé des dessins animés à la télé : *Les douze travaux d'Astérix*. À un moment on voit un pauvre homme marcher en vacillant drôlement avec un entonnoir sur la tête. Cette image d'un homme avec un entonnoir sur la tête me met mal. Cette manière dont on dépeint les gens qui ne vont pas bien. Et je ressens la honte si précise d'avoir un lien avec cette image. Ma honte en regardant des dessins animés.

Notre père roulait sur le tapis de l'infini. À la maison il nous parlait de l'infini et j'étais terrorisée. Je me doutais bien que rien ne tenait dans l'infini.

Et c'est vrai : je ne tiens pas.

À l'école la maîtresse nous explique l'infini. Je dis non. Je ne le veux pas. Elle insiste avec son infini. Je me durcis ; je ne veux pas d'infini. La maîtresse me met dans une classe spéciale de mathématiques où une spécialiste va s'acharner sur moi pendant des mois avec son infini. Je suis désespérée. Il ne faut pas que l'infini existe : on en a plein à la maison et c'est l'enfer de l'infini. Je veux une fin. J'ai huit ans.

Je te faisais rire quand je te racontais que pour les examens de mathématiques, je mettais les réponses au hasard. J'y allais au feeling. J'étais contente que tu ries.

C'est une autre maîtresse que j'aimais qui un jour, et je me demande bien pourquoi, a décidé de nous présenter une vérité bonne à savoir, un fait scientifique : le diagramme de la folie. Elle a dessiné un graphique au tableau avec des lignes et des flèches où on pouvait voir que plus une personne était intelligente, plus elle risquait d'être folle. Cela m'avait causé un trouble immense.

J'ai fait de mon mieux. J'ai essayé de contourner tous les sujets intelligents. Ou si je m'y intéressais, j'ai toujours essayé de savoir sans trop savoir. Surtout ne pas tout retenir. Laisser aller la majorité des choses lues, des titres, des auteurs, des notions. Je sais sans savoir. C'est intenable. Mais je n'ai pas le choix. Le savoir, les connaissances me rendraient malade comme mon père. Je sais que c'est ridicule. Mais j'ai été obligée de devenir ridicule et cela m'aura tuée plusieurs fois.

Je me souviens de toi dans la voiture, quand chaque été on faisait un voyage normal de famille normale qui part en vacances normales, toi assis à côté de moi en petit garçon en shorts qui rêvait par la fenêtre pendant que je chuchotais toutes les chansons que je connaissais. Je m'accrochais à chacune des chansons. Je les enfilais doucement et ça me faisait du bien. J'ai beaucoup chanté en silence parce que notre père ne pouvait tolérer tout ce qui contenait de l'émotion. Ça le dérangeait.

Lors d'un de ces voyages, alors que notre père faisait une crise au camping, je me suis enfermée dans la voiture. J'ai pris les clés et je ne voulais plus sortir. C'est la seule fois où, franchement, la trop grande promiscuité m'avait mise à bout. Une chambre à soi, à la maison, c'est sûrement ce qui m'a sauvée. Une chambre, du papier et la radio.

Cette fois-là, au camping, je vois ma famille cogner aux fenêtres de l'auto. Je suis coincée. Je ne veux ni être dans la voiture ni aller dehors. Dehors n'existe pas dans une famille qui ne va pas bien.

Charles Aznavour est mort. Ça t'aurait ému. Dans la vingtaine, toi et moi on s'était précipités à son concert à la Place des Arts. Il était vieux déjà, et la salle était remplie de personnes âgées. On aimait Aznavour ; il nous avait beaucoup aidés à la maison. Toi et moi on s'enfermait souvent dans la musique. Les enfants savent tellement écouter les chansons à répétition. La musique comme zone de protection.

Notre père avait acheté un système de son très moderne qu'il avait installé au salon. Très vite il s'était fâché contre la musique et avait descendu l'appareil dans la salle de jeu. Ce n'était pas de sa faute : il ne pouvait supporter la musique et ses émotions.

Aznavour mort ça t'aurait attristé, et toi aussi t'es mort, et ça aussi ça t'aurait attristé, je crois.

Adolescente, j'étais tellement fière d'avoir trouvé un premier job d'été. Mais notre père a fait une crise : il était furieux et il criait, criait, et je ne comprenais pas pourquoi. Ma mère m'a expliqué qu'il n'était pas content que je travaille parce que c'était lui le pourvoyeur de la famille : le papa qui a raison.

Finalement j'ai été monitrice dans une colonie de vacances pour petites filles de milieux défavorisés. Les monitrices étaient toutes de « bonne famille » et je n'ai jamais demandé si elles avaient dû s'opposer à leur père pour travailler.

Quelques années plus tard, il a voulu que je l'accompagne au théâtre, lui qui n'y allait jamais. Juste avant la représentation il a eu l'idée de m'acheter des fleurs. J'étais à la fois très surprise, enchantée et très inquiète. On est allés chez un fleuriste et j'ai assisté à la représentation avec une plante verte sur mes genoux qui me gênait un peu la vue. Bien sûr, j'étais contente que mon père m'offre des fleurs, mais je sentais que ça n'annonçait rien de bon. Ça ne faisait pas partie des activités de notre famille. Mon père ne pouvait pas vouloir m'offrir un cadeau : c'était trop d'émotions. J'ai trouvé la pièce de théâtre très longue. Le lendemain il était à l'hôpital. Toute émotion rendait notre père malade : il ne supportait pas.

Le plus drôle c'est qu'à un moment, j'ai voulu étudier le latin, mais notre père a refusé ; c'est une langue morte qu'il répétait. Je ne savais pas qu'une langue pouvait mourir. Mais lui le savait. Tu vois, j'aurais pu t'écrire ici dans une langue morte.

Je t'écris les yeux fermés de toutes mes forces et de toute ma mauvaise écriture. Et je ne l'ai pas recouverte de belles phrases. Je sais combien tu détestais les belles apparences. Et avec un peu de chance, ça ne paraîtra même pas que j'écris de l'écriture.

Je ne devrais pas t'en parler, mais je remarque que les gens ne prononcent plus ton nom. J'imagine que ça les met mal à l'aise. Ton nom en train de mourir avec toi. J'aimerais tant qu'on me demande de tes nouvelles même si je n'en ai pas.

On se sera téléphoné presque à tous les jours pour vérifier si l'un et l'autre on tenait le coup, parce que c'est tout ce qu'on pouvait : tenir le coup.

Ça ne fait pas très longtemps que j'ai découvert que les gens n'ont pas à faire tant d'efforts pour vivre. On dirait même que vivre leur est naturel. Et ça ne fait pas très longtemps que j'ai découvert que j'étais toujours à m'appliquer. Je pensais que la vie était ainsi faite. Et moi souvent si lasse et toi aussi, je m'en souviens.

Toi et moi : avoir besoin de pauses, d'arrêts, de sorties de la vie après chaque activité sociale parce que chaque activité sociale est un effort surhumain. Alors être en vie oui, mais jamais plus de deux, trois heures à la fois. À cause de cette extrême vigilance constante : vivre sur ses gardes est exténuant.

C'est tellement ardu de vivre avec cette sensation de venir d'ailleurs : s'excuser toujours avant même d'arriver, moi avec mon sourire inoffensif et toi, comme un grand Japonais, te plier en deux devant chaque personne rencontrée.

Venir d'ailleurs est trop difficile alors tu es reparti. Je comprends.

Hier, je suis passée devant ta montagne imprenable : elle a grandi.

Notre père est maintenant devenu une personne âgée, mais il ne dit pas les mots prévus à cet effet. Par exemple il dit souvent le mot « aléatoire ». Quand son meilleur ami a vécu une terrible épreuve, notre père a voulu lui écrire. Son ami n'était pas mathématicien, mais notre père lui a écrit une phrase mathématique remplie d'amour. Je sais que c'est le plus beau message écrit par notre père. C'était tout en symboles : une formule venue du cœur, le cœur scientifique de notre père. Maintenant il oublie et les mots et les symboles mathématiques. Quand il écrit à quelqu'un il dessine une fleur. Une belle grosse fleur de vieux. Et quand je lui demande comment il va, il me répond : « Je ne peux pas te donner une réponse définitive. »

Une fois, une seule fois, tu m'auras dit quelque chose de bien à propos de notre père. Tu m'as raconté qu'un jour pendant tes études à l'université, tu lui avais demandé de l'aide pour un problème de mathématiques. Tu m'as décrit la clarté, la limpidité, la douceur et la générosité des explications de notre père. Puis tu as rajouté, et ce sera tout pour ce qui est de tes éloges de notre père : l'écriture mathématique de notre père était parfaite.

Il ne sait pas que tu es mort. Il ne sait plus qui tu es et depuis longtemps.

C'est le fameux premier joyeux temps des fêtes sans toi. On était au moins deux à le savoir que ce joyeux temps des fêtes, ce n'est pas si joyeux.

Noël est toujours aussi détestable avec ou sans toi. Mais il y a le jour de l'An qui se pointe dans deux jours. Ce sera pire ; je le sais parce que toi et moi au jour de l'An, on avait de l'espoir comme deux idiots. Ce sont les désespérés qui ont le plus d'espoir. Ça aussi, il n'y avait que toi pour le savoir. On pensait, à chaque année, que ça allait changer, que ça ne pouvait pas continuer comme ça. L'année nouvelle nous apporterait enfin ce qui nous manquait. Le mal de vivre allait se transformer grâce à la magie du temps des fêtes. Mais on a ramé à chaque année entre le mal de vivre et le mal de ne pas vivre.

Tu te souviens de ces cartes de vœux avec des photos envoyées par nos cousins qui posaient en enfants normaux et nous écrivaient toutes les belles choses qu'ils avaient accomplies durant l'année ? Ça nous semblait toujours étrange ces cartes, et un peu trop flamboyant. Nous, on avait enduré toute l'année et on souhaitait l'impossible humblement et sans en parler à personne.

Ça me fait penser : tu sais, les vœux de condoléances, ça fonctionne. Chaque petite phrase dite ou écrite, je l'ai reçue en plein cœur. Chaque petit geste m'a fait tellement de bien. Je te l'écris parce qu'après tout, c'est toi qui auras généré tout ça : cet amas de bonté.

Toutes les apparences sont contre nous. Je vais voir mon père si doux, si gentil, si touchant dans sa chambre de vieux père qui a eu deux enfants et une bonne épouse. Avec juste un peu trop de photos pour le démontrer. Sa chambre est inondée d'images de famille parfaite. Et quand par hasard mon œil rencontre l'image de mon père de l'époque sur une de ces photos, je cesse de respirer ; c'est mon père pas bien qui est là, mon père dangereux, mon père brisé. Je reconnais son air dur et sans pitié, son air pas bien.

Et il y a moi sur ces photos de famille. Moi, vide. Moi comme sur toutes les photos, disposée en fille aînée avec sourire et absence.

J'aime rendre visite à notre père. J'aime aller aimer mon père et j'aime aimer mon père parce qu'il m'a manqué ce père normal, et que c'est tellement simple cette activité d'aimer mon père. Et puis c'est là, dans cette petite chambre de vieux, que je ressens le mieux ta présence : notre père est enrobé de tes attentions, de tes soins et de tes prévenances. On est allés là si souvent toi et moi : auprès de notre père.

Je vais rendre visite à mon père et je vous retrouve tous les deux. Dans la paix. Une paix gigantesque que je n'aurais pu inventer : une paix de mort.

L'an passé j'étais allée te rejoindre en pleine nuit, aux urgences de l'hôpital. Notre père était tombé sur la tête. Le médecin jeune et en santé a mis de la colle sur la coupure. Après on a attendu que la colle sèche et que le transport adapté (aux personnes en fauteuil roulant) vienne nous chercher. C'était très long et hospitalier.

Je voyais bien à l'hôpital combien le personnel soignant avait beaucoup d'empathie pour toi et moi : deux vieux enfants qui aiment leur père. L'infirmier a même dit « votre papa ». J'ai pensé ; « n'exagérez pas, il y a longtemps que j'ai cessé de l'appeler "papa" ». Mais il est bon de voir combien les gens aiment quand les enfants aiment leurs parents. Les gens aiment l'amour et assez souvent n'en connaissent pas le prix.

Et puis cela fait la preuve que si jamais ils ont des enfants un jour ou en ont déjà, ce ne sera pas pour rien : ce sera pour l'amour. L'amour toujours. Je dois leur dire que des enfants, on n'en a pas. Que de ne pas en avoir est une solution pour arrêter, finir, terminer la souffrance qui sévit dans notre famille. Et qu'avec cette souffrance, ce désir est moins fort.

J'essaie de ne plus t'écrire. Il semblerait que j'aie le droit de te parler dans ma tête. On a tellement vécu dans nos têtes à l'abri de tout.

Je veux quand même te dire que je dois aller à Paris pour un projet. C'est toi qui m'as montré comment être à Paris. T'étais venu me rejoindre là-bas et moi je voulais tout te montrer. Tu m'as dit « mais non : Paris est partout ». Et on s'est assis dans un petit parc tranquille. T'es resté une semaine et on est allés au même café à tous les jours.

T'avais raison. Paris était dans ce café à tous les jours. Personne d'autre que toi n'aura aimé autant ce que tu aimais : les petits moments de la vie très ordinaire, les choses sans importance, les activités pour rien, le juste-comme-ça, le temps de boire un café ou d'une balade sans but. Jamais rien de grandiose. T'en avais trop vu, du grandiose.

De petit garçon vif, curieux, brillant, enjoué, t'étais devenu un adulte si prudent, si prévenant, si doux, si discret et si las. Si fatigué de porter cette histoire : le poids de notre père.

T'es mort à l'âge où on dit que le mort est encore jeune. C'est faux. T'avais cet âge très précis où t'avais fini d'être jeune.

Hier, cinq enveloppes à ton nom, ton nom, ton nom, ton nom, ton nom. Et moi, pliée en deux à ouvrir les enveloppes comme si t'étais dedans. Je n'y arriverai jamais à ce que tu ne sois plus là. On était si seuls toi et moi dans cette enfance en forme de diagramme.

Maintenant je dois être seule toute seule.

Je suis rentrée de Paris. J'ai vu tous les endroits où tu n'étais pas. Je ne suis surtout pas entrée dans le café qu'on fréquentait. Je suis passée devant et il m'a semblé qu'il allait exploser si je m'attardais.

J'ai quand même réfléchi un peu sur ce même banc de parc tranquille : mon frère, on a été de trop bons enfants. On s'est soumis à la loi qui ne va pas bien afin de survivre et aussi de protéger les nôtres : nos parents qui étaient des gens gentils, généreux, aimables et brisés. Tous les quatre on aura été les joyeux naufragés sur l'île désertée de la maladie mentale.

Tu sais, ce n'est pas la mort qui est sordide. Ce n'est pas non plus d'écrire tout ça. C'est de ne pouvoir vivre qui est sordide.

Ma vie dans la vie, en général, consiste à avoir l'air normale ou acceptable. Quelle sorte de vêtements dois-je porter pour ne pas alarmer les gens normaux ? Je suis pratique et réaliste. Je suis d'un ennui recherché. J'aime et j'envie les gens qui n'ont pas peur d'attirer l'attention par leurs choix vestimentaires, mais je sais bien que c'est parce qu'ils montrent pattes blanches qu'ils peuvent poser ainsi en originaux. Alors que moi, mon père portait un abat-jour sur la tête. Et ce n'est pas une métaphore. C'est ce que j'ai vu : mon père nu avec un abat-jour sur la tête et qui me dit : « Sylvie t'as vu mon chapeau ? » Haut moment de haute couture.

Cette fois de l'abat-jour, j'étais avec l'homme de ma vie à qui j'avais déjà raconté quelques épisodes de désorganisation (parce que c'est comme ça qu'on dit, je le sais maintenant) de notre père. J'ai vu mon chéri absolument sidéré, qui ne pouvait comprendre cette image. Lui qui admirait notre père pour sa culture, sa gentillesse et son art de vivre. J'ai vu mon chéri, une fois sorti de sa paralysie, avoir soudain peur. Je l'ai vu réagir en homme qui a peur, c'est-à-dire se lever et être prêt à se défendre. Notre père divaguait, nous menaçait, s'impatientait, piaffait. Et toi aussi t'étais là mon frère ; et c'est toi qui as su parler doucement à notre père, longuement, patiemment tu lui as décrit le plaisir de marcher tranquillement dans la ville. Tu l'as convaincu de sortir. On a habillé notre père. On lui a mis ses sous-vêtements, son pantalon et ses souliers, et vous êtes sortis. Et toi, tu as marché jusqu'à l'hôpital en fils brisé qui aide son père. Et c'est ce que t'auras fait jusqu'à la fin, mise en abyme exquise ou élégant paradoxe : offrir ce qu'on n'a pas à celui qui ne nous l'a pas offert. Long et lent projet de démolition en cours. Avec aucun méchant. Aucune mauvaise foi avec aucun superhéros.

Qui vit par le cœur périt par le cœur.

Tu es mort mon frère. Il fallait que je te le dise.